손 끝으로 느끼는

백제의 숨결 3권

baekjemuseum.seoul.go.kr

발간등록번호 51-6113103-000006-01

ISBN 978-89-969903-4-5

인사말

안녕하십니까. 서울시장 박원순입니다. 우리의 수도 서울은 2천 년 전 백제의 첫 도읍으로서 5백년간 <고대왕국, 백제>가 번성한 곳입니다. 그래서 풍납토성, 몽촌토성, 석촌동고분군 등 빛나는 문화유산을 많이 품고 있습니다. 그 역사와 문화를 늦었지만 잘 보존하고 보다 잘 후손에게 전승하기 위하여 우리 서울시는 지난 2012년 4월 30일 한성백제박물관을 개관했습니다.

한성백제박물관에서 각종 전시물을 통해 만나는 백제는 다양한 사람들이 어우러지며 국력을 키우고 기술과 문화를 발전시킨 멋지고 역동적인 나라입니다. 부여, 고구려, 낙랑, 대방, 마한, 왜 등 여러 지역과 나라를 떠나 백제 땅에 들어온 사람들이 백제라는 하나의 깃발 아래에서 같은 꿈을 꾸며 함께 어우러졌던 것입니다.

그동안 우리의 박물관은 눈으로 감상하는 방법에만 익숙했습니다. 그러나 서울시는 우리가 살아가는 도시 자체를 역사가 살아 숨 쉬는 박물관으로 만들고자 다양한 방법으로 노력하고 있습니다. 그리고 그 기초가 되는 조건은 누구라도 이러한 박물관을, 서울을 누릴 수 있어야 한다는 점입니다. 몸이 불편하신 분들도 다양한 방법으로 서울의 역사를 느끼고 즐길 수 있어야 합니다. 그것이 더 많은 분께 새로운 의미의 힘이 될 것입니다.

이를 위해 한성백제박물관에서는 이번에 촉각도록을 만들었습니다. 국내 시각장애인 24만 명이 서울의 고대 역사·문화를 즐기는 작은 기회가 되었으면 좋겠습니다. 그리고 이 촉각도록이 「함께 만드는 서울」, 「함께 누리는 서울」의 문화 복지 확대의 작지만 큰 시작이 되기를 희망합니다.

2013. 2.

서울특별시장 **박원순**

발간사

한성백제박물관은 서울이 삼국시대 백제역사 678년 중 493년 동안 수도였음을 기억하고 배우고자 설립한 박물관입니다. 그래서 백제 궁궐이 있었던 풍납토성과 몽촌토성, 왕과 귀족들의 무덤이 즐비했던 석촌동고분군을 중심으로 백제의 왕도역사를 소개하고 서울과 한강유역의 선사~고대 문화를 쉽고 재미있게 설명하고 있습니다.

한성백제박물관 로비의 한쪽 벽면에는 거대한 풍납토성 성벽 일부를 그대로 옮겨 놓았습니다. 제1전시실에서는 서울의 구석기시대부터 청동기시대까지 각종 유적과 유물을 모형, 그림과 함께 소개하고 있습니다. 제2전시실은 백제 한성도읍기의 역사·문화를 주제별로 다루었습니다. 왕도 한성의 풍경을 옛 지형에 맞춰 축소모형으로 복원하였으며, 왕실의 동명사당 일부를 실물 크기로 만들어 만져볼 수 있게 했습니다. 백제사람의 집안 생활모습과 외국을 오가던 백제 배도 전문가의 엄격한 고증을 거쳐 실제 크기대로 재현하였습니다. 제3전시실에는 백제의 웅진·사비 도읍시대의 유물과 같은 시기에 서울을 차지한 고구려, 신라의 유물을 전시하였습니다.

한성백제박물관에서는 시각장애인의 박물관 전시감상을 위해 음성안내시스템을 서비스하고 있습니다. 그리고 이번에는 촉감으로 전시내용을 설명하는 촉각도록과 팝업카드를 만들었습니다. 모두 한성백제박물관에서 전시하는 백제의 대표 유물과 그에 얽힌 이야기들을 담았습니다. 아무쪼록 이 책이 서울의 백제유적과 그 의미를 서울 시민과 모든 국민에게 고루 알리는 계기가 되길 바라며, 문화복지 확장을 위해 애쓰는 직원 여러분께 감사드립니다.

2013. 2.

한성백제박물관장 **이인숙**

백제의 숨결

백제사람의 삶

백제사람의 삶

서울이 백제의 왕도였을 때 사람들은 한강에서 고기를 잡고 강남의 넓은 들판에서 곡식을 재배하였다. 한강을 이용해 중국과 일본을 오가며 각종 문화를 주고받았다.

옷

중국 역사서 「남사」와 「북사」에 백제사람들의 옷은 고구려와 비슷하며 남자는 저고리와 바지, 여자는 저고리와 치마, 두루마기를 입었다는 기록이 있다. 백제사람들은 신분에 따라 옷의 재질과 색을 구분했으며 허리띠, 귀걸이 등의 꾸미개를 사용하였다. 또 옥을 좋아해서 옷에 달기도 하였다.

먹을거리

백제에서 신분이 매우 높은 사람들은 육고기와 쌀밥을 먹기도 했지만, 대다수는 주로 채식을 하였다. 쌀은 세금의 기준이 될 정도로 귀해서 일반 백성들은 잘 먹지 못하였다. 일반 백성은 주로 콩, 보리, 조, 수수 등의 잡곡을 먹었다. 곡물을 불에 굽거나 볶은 뒤 가루로 만들어 물에 타서 먹기도 하였다. 뿌리채소는 간장, 된장, 젓갈 등과 함께 저장하여 오랫동안 먹을 수 있었다. 음식을 저장하던 항아리들이 유적에서 많이 출토된다.

백제사람의 삶

집

백제사람들은 대다수가 반지하 움집에서 살았다. 벽체의 1/3 정도가 땅 아래에 있었기 때문에 지붕은 지금보다 낮았다.

집 모양은 한자의 여(呂)자 또는 철(凸)자처럼 생겼다. 출입문은 남쪽 또는 남동쪽에 설치하였다. 집안은 원룸처럼 모든 공간이 트여있었다. 바닥에 흙을 다지고 그 위에 짚 또는 대나무로 짠 돗자리를 깔고 생활하였다. 부엌은 가장 안쪽에 만들었다. 좁고 긴 아궁이가 비스듬하게 벽으로 이어지며, 집 안을 따뜻하게 하는 온돌 역할까지 겸하였다.

사상·풍속

종교는 토착신앙과 유교, 불교, 도가 등이 있었으며, 주사위놀이와 바둑, 윷놀이가 유행하였다. 봄에 씨앗을 뿌린 뒤, 가을에 추수한 뒤에는 모두 모여 노래하고 춤추는 축제를 벌였다.

무덤

사람이 죽으면 움무덤, 돌무지무덤, 흙무지무덤, 돌덧널무덤, 돌방무덤 등에 묻었다. 움무덤과 돌덧널무덤은 땅을 파고 사람을 묻는 무덤이며, 돌무지무덤과 흙무지무덤은 평지에 돌이나 흙을 쌓아가면서 사람을 묻는 무덤이다. 백제 왕실은 한성기에 돌무지무덤을 주로 썼으며, 나중에 돌방무덤으로 바꾸게 된다. 돌방무덤은 무덤 안을 방처럼 드나들 수 있게 만든 무덤이다. 백제 한성기의 무덤은 지금도 송파구 석촌동 등에 남아 있다.

백제 사람들은 아궁이에 계란모양 토기 등을 걸어 밥을 하거나 찌개를 끓였다. 그밖에 시루 등을 사용해 떡을 찌고, 바리모양 토기로 죽을 만들거나 고기를 삶아 먹었다. 찜요리는 계란모양 토기에 물을 넣고 그 위에 시루를 얹어 음식을 쪘다. 계란모양 토기는 몸통이 매우 길고 바닥이 둥글며 아가리가 밖으로 벌어진 형태이다. 모양이 계란을 닮았다고 해서 계란모양 토기라 이름 붙여졌으며, 장란형토기라고도 한다.

시루는 바닥에 구멍이 뚫려있고 몸체 양옆에 소뿔처럼 생긴 손잡이가 달린 모습이다. 고대에 찜요리는 주로 상류층이 먹었다.

계란모양 토기와 시루

계란모양 토기 옆면

시루 옆면

계란모양 토기 윗면

시루 윗면

재료 흙

크기 14.3cm

출토장소 풍납토성, 몽촌토성

깊은바리는 음식을 끓일 때 사용한 그릇이다. 그래서 그릇 바깥 면에는 그을음이 남아 있거나 그릇 안에는 음식을 끓인 자국이 남아 있기도 하다. 음식을 끓이는 토기는 열을 가해도 깨지지 않고 물기를 어느 정도 빨아 들여야 하기 때문에 낮은 온도에서 굽는다. 따라서 그릇은 단단하지 않고 그릇 두께는 두꺼운 편이다. 바닥은 평평하고 몸통은 위로 올라갈수록 조금씩 벌어지며 목에서 조금 좁아진다. 입구는 밖으로 벌어졌다. 몸통에는 그릇을 만들 때 나무도구로 두드려서 생긴 고운 새끼줄무늬가 있다.

깊은바리

옆면

문양

재료 흙

크기 24cm

출토장소 풍납토성

백제 유적에서는 크고 작은 항아리가 매우 많이 출토된다. 그 중 짧은목항아리는 곡식을 담아 두는 저장용기이다. 토기를 구운 온도가 저마다 달라 색깔이 회백색, 회색, 회청색 등 다양하다. 바닥은 둥글고 몸통은 중간 부위가 가장 넓어 공처럼 생겼다. 목은 곧게 올라가며 입구가 밖으로 벌어졌다. 몸통에는 만들 때 새긴 새끼줄 문양이 있으며 바닥에는 새끼줄 문양을 지우고 새긴 격자문이 있다.

짧은목항아리

옆면

문양

재료 흙

크기 33.4cm

출토장소 풍납토성

긴목항아리는 1000℃ 이상의 고온에서 구워 매우 단단하며 회청색을 띤다. 곡물, 액체 등을 보관하는 데 썼다. 공처럼 둥근 몸통에 나팔처럼 벌어지는 긴목이 달리고 입구는 밖으로 넓게 벌어졌다.
목에는 두 줄의 도드라진 선이 돌아가며 몸통 어깨에 또 한 줄의 도드라진 선이 돌아간다. 몸통 중간에 물결무늬가 있고 둥근 바닥에는 그릇을 만들 때 두들개로 두드려서 생긴 격자무늬가 있다.

긴목항아리

옆면

문양

재료 흙

크기 18.3cm

출토장소 몽촌토성

백제 집자리에서는 높이 70cm 이상의 매우 큰 항아리가 출토된다. 이런 큰 항아리는 대부분 저장용기이다. 바닥이 둥글어 땅 속에 묻거나 주변 흙을 돋우어 지지대를 만들어 사용해야 한다. 둥근바닥에서 위로 올라갈수록 조금씩 넓어지다가 목 부분에서 조금 좁아진 뒤 다시 입구가 나팔꽃처럼 벌어진다. 몸통에 격자무늬가 새겨져 있으며 몸통 가장 윗부분에 삼각형 문양이 일정간격으로 찍혀 있다.

큰독

옆면

문양

재료　흙

크기　79.7cm

출토장소　파주 주월리 육계토성

컵모양 토기에는 손잡이가 붙어 있으며 굽다리접시모양, 맥주잔모양, 작은 항아리모양 등 모양이 다양하다. 주로 술·물 등의 액체를 담거나 되처럼 용량을 재는 데 쓴 듯하다. 사진 속 컵모양 토기는 나팔모양의 굽 위에 바닥이 둥근 접시를 얹는 형태이다. 손잡이는 접시몸통 중간과 굽다리 아래쪽을 곡선 띠로 이어 붙여 만들었으며, 위쪽 끝이 달팽이처럼 살짝 말려 있다. 높은 온도로 구워 단단하며 흑갈색을 띤다.

컵모양 토기

옆면

재료　흙

높이　7.7cm

출토장소　풍납토성

풍납토성에서 몸통에 ‘대부(大夫)’라는 한자가 새겨진 토기 항아리가 출토되었다. 이를 대부명토기라고 부른다. 대부는 관직 이름이거나 신분이 높은 사람을 가리키는 말이다. 항아리는 바닥과 몸통이 둥글며 목과 아가리는 수직으로 연결된다. 표면은 매끄럽고 윤기가 나며 몸통 위쪽에 ‘대부’ 글자가 새겨져 있다. 글자 위, 아래에 물결무늬와 격자무늬가 있다.

대부명토기

옆면

문양

재료 흙

크기 25cm

출토장소 풍납토성

돌을 쪼아내어 안을 둥글게 만들고 바깥쪽 바닥은 평평하게 다듬은 절구이다. 절구 안은 많이 사용한 탓인지 표면이 매우 매끄럽다.
풍납토성과 몽촌토성 안에서는 작은 돌절구가 많이 발견되었다. 돌절구는 곡식을 찧거나 빻는 데 사용하는 도구인데, 크기가 매우 작은 것은 약재를 빻아 가루로 만들 때 유용하다. 돌절구 안쪽 바닥이 빨갛게 물든 것도 발견되므로 식물뿐 아니라 광물을 빻았을 가능성도 있다.

돌절구

옆면

윗면

재료 돌

높이 8.2cm

출토장소 풍납토성

병은 물, 술 등의 액체를 담는 그릇이다. 액체가 그릇 표면에 스며들지 않도록 높은 온도로 구워 단단하며 회청색을 띤다.

사진 속 토기 병은 풍납토성의 우물 안에서 출토되었다. 아마도 물을 퍼내는 두레박이었을 것이다. 몸통은 둥글고 바닥은 평평하며 목은 가늘고 짧은 편이다. 입구는 밖으로 벌어졌으며, 두 겹 입술이다. 목과 어깨를 제외한 몸체에 격자무늬가 있다.

병

옆면

문양

재료 돌

높이 17.7cm

출토장소 풍납토성 바깥의 우물

부여 군수리에서 출토되었다고 전해지는 토기 소변기(요강)이다. 여성용 변기는 높은 온도로 구워 매우 단단하나 남성용 변기는 조금 약한 편이다. 남성용 변기는 네 발 달린 동물이 바닥에 앉아 목과 얼굴을 들고 입을 크게 벌린 모습으로서 마치 호랑이를 떠올리게 한다. 등에는 손잡이가 있다. 여성용 변기는 열매나 씨앗처럼 낮고 넓은 타원형이다. 아가리는 매우 넓으며 뒤쪽이 조금 높고 앞쪽이 낮으면서 길게 튀어나와 있다. 몸체 양쪽에 가로형의 손잡이가 달렸다.

변기(남성용, 여성용)

남성용_옆면

여성용_옆면

여성용_윗면

재료 흙

남성용 높이 25.7cm

여성용 높이 16cm

유약 바른 도기는 백제가 중국에서 수입한 고급물품 중 하나로서, 물, 술 등을 담는 대규모 저장용 그릇이다. 지금까지 주로 풍납토성과 몽촌토성 등 백제 왕도에서 출토되어 신분이 높은 사람들만 사용했음을 알 수 있다. 사진 속 유약 바른 도기는 바닥이 좁고 평평하며 몸통은 위로 올라갈수록 넓어져 어깨부위가 가장 넓다. 목은 좁고, 입구는 조금 벌어졌다. 토기를 만들 때 바른 유약이 흘러내린 곳도 있어 그릇 색깔은 일정하지 않아 녹갈색 또는 황색을 띤다. 어깨와 몸통 위쪽에 중국 화폐인 오수전 등의 동전 무늬를 새긴 것도 있다.

유약바른항아리(시유도기)

옆면

윗면

재료 흙

높이 55.5cm

출토장소 풍납토성

총괄	이인숙
기획	김기섭, 이경자, 이호창
진행	김기섭, 이경자, 김지미, (사)생활환경디자인연구소
원고·편집	김기섭, 이경자, 이지민
발행인	이인숙
발행일	2013년 2월
발행처	한성백제박물관 138-829 서울특별시 송파구 위례성대로 71
Tel.	02. 2152. 5800
Fax.	02. 2152. 5967
디자인	미디엄
인쇄	예영사